POZZOLI

STUDI
DI MEDIA DIFFICOLTÀ

PER ARPA

ÉTUDES
DE MOYENNE DIFFICULTÉ
pour Harpe

STUDIES
OF MODERATE DIFFICULTY
for Harp

ETÜDEN
MITTELSCHWER
für Harfe

ESTUDIOS
DE MEDIANA DIFICULTAD
para Arpa

RICORDI

E.R. 2250

Ettore Pozzoli *(1873-1957)*

STUDI DI MEDIA DIFFICOLTÀ

PER ARPA

4

6

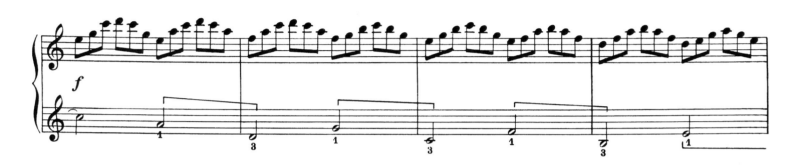

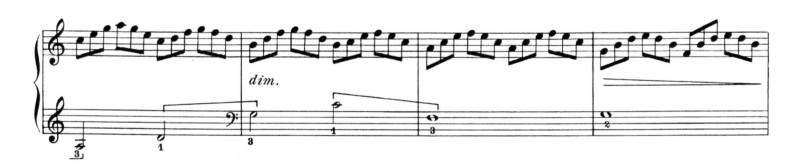

10

dim.

f

mf

dim.

p

mf

f

12

27

E.R. 2250

13.

33

E.R. 2250

34

36

E.R. 2250

⊕ Smorzare il suono tornando subito colla mano sulla corda, come se si dovessero ripetere le stesse note.

(★) Eseguire le ottave della m.s. tenendo la mano aperta e le dita rivolte in alto.

43

45

E.R. 2250

23. Andante con moto ♩.=69

54

E.R. 2250

58

61

E.R. 2250

62

27.

63

E.R. 2250

METODI
E STUDI
PER ARPA

RICORDI

TEORIA E SOLFEGGIO

ALLORTO, Antologia storica della musica. Vol. I: Dai Greci al Rinascimento (ER. 2815)

— Vol. II: Le età barocca e preclassica - Parte I: musiche per strumenti a tastiera del secolo XVII (ER. 2842)

—— Parte II: musiche per strumenti a tastiera della prima metà del secolo XVII (ER. 2861)

- Nuova storia della musica (NR. 134797)

- Teoria della musica per i Conservatori per le Scuole di musica (ER. 2831)

ALLORTO - MUSMECI - SORELLI, Melodie dell'autore e popolari per lo studio del solfeggio cantato (ER. 2875)

ANDREANI - D'URSO - GUGLIELMINOTTI VALETTA - ODONE, Lettura melodica. Vol. I (NR. 138193)

- Lettura ritmica (138364)

APREDA, Fondamenti teorici dell'arte musicale moderna (Elementi di scrittura, Morfologia musicale, Nozioni di acustica) (ER. 2510)

ARKOSSY GHEZZO, Corso completo di educazione all'orecchio, ritmo, solfeggio, dettato e teoria della musica (con cassetta) (NR. 133695)

BAS, Trattato di forma musicale (ER. 2500)

BELLOMI - MUSMECI - SORELLI, Il quaderno di ritmica. Vol. I (ER. 2924)

BERLIOZ, Grande trattato di strumentazione e di orchestrazione (ER. 2921)

BETTINELLI, Solfeggi parlati e cantati manoscritti (ER. 2804)

BIANCHI, Solfeggi ritmico-melodici (parlati) (ER. 2851)

BONA, Metodo completo per la divisione. Nuovissima ed. riv. preceduta da "Appunti di teoria musicale" a cura di Aldo Rossi (NR. 132129)

BONA, Il nuovo Bona. Metodo rapido per la divisione - a) in chiave di violino (ER. 2442)

— b) in chiave di basso (ER. 2443)

CAMMAROTA, L'armonizzazione del canto dato. 33 Melodie realizzate per pf. e per canto con accompagnamento (ER. 2529)

CARABA, Fondamenti pratici d'armonia. Per il corso d'armonia complementare e le classi dei Licei musicali (ER. 2847)

CIGNOLA, Corso di teoria musicale (GZ. 5598)

COLTRO, Bassi per lo studio dell'armonia complementare, con realizzazioni dimostrative e numerosi suggerimenti (GZ. 6292)

CORDUAS - DI NATALE-MAGGIORE. Teoria della musica con esercizi, ad uso dei Conservatori e Scuole di musica (137465)

DACCI, Trattato teorico-pratico di lettura e divisione musicale - Parte I (ER. 2097)

— Parte II (ER. 2098)

— Parte III (ER. 2099)

— Parte IV (ER. 2100)

DE LUCA. Eserciziario musicale. CD Rom con schede applicative (MLR 608)

DE NARDIS, Corso teorico-pratico di armonia ad uso delle scuole complementari - Parte I (ER. 1577)

— Parte II (ER. 1578)

— Parte IV - Melodie e bassi tematici per il corso principale (ER. 1580)

DE SANCTIS, La polifonia nell'arte moderna spiegata secondo i principi classici. Vol. I: Trattato d'armonia (ER. 1601)

DESIDERY, Come superare l'esame di licenza di teoria e solfeggio (ER. 2895)

DONORÀ, Semiografia della nuova musica (GZ. 5512)

DUBOIS, Trattato di contrappunto e fuga (ER. 2634)

GENTILUCCI O., Trattato di teoria con riferimenti storici e armonici (ER. 2149)

GUBITOSI, Esercizi preliminari per la pratica di chiavi di violino e basso (ER. 2411)

LANZA, Introduzione alla musica. Manuale ragionato di teoria musicale (GZ. 6250)

LAZZARI, Solfeggi cantati (ER. 2256)

LAZZARI - MICHELI - GENTILUCCI O., 30 Solfeggi parlati in chiave di sol (ER. 2441)

LONGO, 32 Lezioni pratiche sull'armonizzazione del canto dato (ER. 1648)

MICHELI, 50 Solfeggi cantati per la preparazione all'esame di compimento del corso di teoria e solfeggio (ER. 2478)

NAPOLI G., Bassi, melodie, temi per lo studio della composizione. Libro I (ER. 1961)

— Libro II (ER. 1962)

NAPOLI J., Bassi della Scuola Napoletana con esempi realizzati (ER. 2591)

PARENZAN, 50 Solfeggi parlati per l'apprendimento graduale della grafia e della divisione (GZ. 5775)

PEDRON, 150 Bassi per lo studio dell'armonia complementare secondo i programmi dei Conservatori di musica (ER. 1511)

- Corso d'armonia per gli alunni di strumenti e di canto dei Conservatori di musica (ER. 1509)

PIAZZA, Educazione dell'orecchio (NR. 134242)

POZZOLI, Corso facile di solfeggio. Parte I (ER. 2071)

— Parte II (ER. 2072)

- Guida teorico-pratica per l'insegnamento del dettato musicale. Parte I e II. Nozioni generali e dettato ritmico (ER. 1099)

— Parte III e IV. Dettato melodico e dettato armonico (ER. 1100)

- Il libro dei compiti per la scuola di teoria e solfeggio. Fascicolo I (ER. 921)

— Fascicolo II (ER. 922)

— Fascicolo III (ER. 923)

- Metodo d'armonia (ER. 2225)

- Solfeggi cantati a 2 voci, facili e progressivi per i Conservatori e gli Istituti Magistrali (ER. 2428)

- Solfeggi cantati con accompagnamento di pianoforte. I corso ER. 1089

— II corso (ER. 1091)

- Solfeggi parlati e cantati. I corso (ER. 1151)

— I corso. Appendice (ER. 1152)

— II corso (ER. 1153)

— III corso (ER. 1154)

— III corso. Appendice (ER. 1306)

- Sunto di teoria musicale. I corso (ER. 1093)

— II corso (ER. 1095)

— III corso (ER. 1097)

- Sunto di teoria musicale in forma dialogata. I corso (ER. 2227)

— II corso (ER. 2228)

ROCCHI, Il setticlavio. Esercizi di lettura (ER. 2893)

ROSA, 20 Solfeggi parlati difficili (ER. 1497)

TISSONI, Metodo elementare di armonia (armonia complementare) ad uso dei Conservatori musicali governativi ed istituti musicali pareggiati (ER. 2448)

TOSATTI, Bassi dati per lo studio della composizione (GZ. 6526)

- Canti dati per lo studio della composizione (GZ. 6514)

- Temi per i corsi inferiori e medi di composizione (GZ. 6513)

TOSTI, Solfeggi cantati (ER. 2923)

- 25 Solfeggi per il registro centrale della voce (NR. 137332)

- Altri 25 solfeggi per il registro centrale della voce (NR. 138156)